Me llamo...
Alejandro Magno

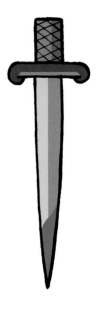

Proyecto y realización
Parramón Ediciones, S.A.

Dirección editorial
Lluís Borràs

Ayudante de edición
Cristina Vilella

Texto
Pau Miranda

Ilustraciones
Christian Inaraja

Diseño gráfico y maquetación
Zink Comunicació S.L.

Dirección de producción
Rafael Marfil

Producción
Manel Sánchez

Primera edición: septiembre 2004

Alejandro Magno

ISBN: 84-342-2683-9

Depósito Legal: B-32.271-2004

Impreso en España

© Parramón Ediciones, S.A. – 2004
Ronda de Sant Pere, 5, 4ª planta
08010 Barcelona (España)
Empresa del Grupo Editorial Norma

www.parramon.com

Hola...

¿Habéis oído hablar de Alejandría? Es una ciudad en la desembocadura del río Nilo, en el norte de Egipto. Llegó a tener la mayor biblioteca de la Tierra y un faro que los sabios consideraron una de las Siete Maravillas del Mundo. Esa ciudad la fundé yo, le puse mi nombre y pedí que me enterraran en ella cuando muriera. Pero ésa no fue más que una de mis gestas, por algo dicen que he sido el mayor conquistador de la historia. Y no es de extrañar, ya que la leyenda cuenta que mis antepasados provenían de dos grandes héroes como Hércules y Aquiles. Aunque no viví muchos años, formé uno de los mayores imperios de la civilización e hice un viaje que aún hoy os parece increíble: me adentré con mis soldados hasta el corazón de la mismísima Asia.

Viví en una época de grandes imperios y, sobre todo, de grandes ciudades. Cuando nací, lo que vosotros conocéis como Grecia Antigua estaba en su máximo esplendor. Había muchos pequeños estados de una sola ciudad, pero la más destacada era la gran *polis* de Atenas. El pensamiento humano alcanzó en esta época alguno de sus mejores momentos, mientras que el arte dio algunas obras que aún hoy no se han superado. En cuanto a la política, se puede decir que fueron los griegos quienes la inventaron. Fue una época apasionante y sentó las bases de la civilización occidental que hoy conocéis.

Mi país...

Macedonia se halla al norte de la península griega, cerca de donde Europa se une con Asia en la grandiosa ciudad de Bizancio (creo que actualmente la llamáis Estambul). Es una tierra montañosa con llanuras y valles regados por muchos ríos, un paisaje bastante diferente del que se puede encontrar un poco más al sur, en lo que en mi época eran las ciudades griegas más importantes. Y el clima no era la única diferencia.

Mi tierra está situada al norte de Grecia, un poco apartada de las principales ciudades y menos desarrollada que nuestros vecinos del sur. Era una tierra de pastores y de campesinos con ciudades muy pequeñas, que muchas veces eran sólo aldeas. Todos los adelantos de las grandes *polis* (que es como denominamos a las ciudades en Grecia) no habían llegado a Macedonia. De hecho, los griegos no nos consideraban del todo como ellos y nos miraban por encima del hombro. Hasta que llegó mi padre..., pero vayamos por pasos.

Yo nací a mediados del siglo IV a.C. En esa época, Grecia
estaba aún en su esplendor, aunque ya se empezaban a
vislumbrar algunos problemas que enseguida os explicaré.
Grecia había sido desde el siglo V a.c. el lugar más importante
de Europa y de buena parte del mundo (aunque aún no nos
conocíamos todos). En ciudades como Atenas, Tebas, Corinto
o Esparta se estaban sentando, sin saberlo, las bases de una
civilización, de una forma de pensar que aún hoy en día perdura
en buena parte del mundo. Vuestras actuales ideas sobre arte,
política, ciencia, historia o filosofía proceden, en buena medida,
de aquellos griegos.

La fuerza de la razón

A los griegos les encantaba debatir por todo e intentaban buscar siempre la razón de las cosas, desde las más pequeñas hasta las más difíciles de entender. Pero eso mismo hacía que les costara tomar iniciativas conjuntas, ya que cada ciudad creía que su forma de actuar era la correcta. Además, a pesar de no ser muy grande, Grecia es bastante montañosa y está formada por diversas penínsulas, con lo cual no es fácil comunicarse.

Sin embargo, había aspectos que los mantenían unidos, como el idioma común o la necesidad de comerciar para que cada ciudad pudiera estar abastecida de todo. También tenían los mismos dioses, aunque cada territorio decía ser el preferido de tal o cual dios o diosa, así que las guerras entre ciudades a veces se representaban también como guerras entre dioses diferentes.

Pero quizás esa misma competencia entre tantos pequeños territorios fue lo que estimuló la enorme producción de conocimiento en todos los ámbitos que se dio en la Gran Grecia. Los griegos no sólo se preguntaban cosas que pocos o nadie se había cuestionado hasta entonces, sino que buscaban respuestas y, a diferencia de otras culturas anteriores y posteriores, a ellos no les bastaba pensar que los hechos sucedían por deseo de los dioses. Buscaban explicaciones que la mente humana pudiese entender, ¡y a menudo las hallaban!

El gran referente de esta forma de actuar y de pensar fue, sin duda, Atenas. A partir de 467 a.C., los atenienses estuvieron gobernados por Pericles, un gran líder que consiguió llevar a su *polis* y a la cultura ateniense al punto máximo de esplendor. Bajo su gobierno se construyeron las grandes obras que hicieron de Atenas la capital del arte y de la política, además de conseguir una gran prosperidad económica gracias al control del comercio.

La crisis de las polis griegas

El desarrollo de esas grandes *polis* iba unido, no obstante, al gusto de los griegos por discutirlo todo, tendencia que los llevaba a menudo a sangrientas guerras entre ciudades. Se formaban continuas alianzas entre ciudades para luchar unas contra otras, generalmente por el control de un territorio concreto.

En aquella época, las dos ciudades principales eran Atenas y Esparta, y casi siempre estaban en bandos opuestos. Atenas representaba los valores clásicos griegos: la democracia (aunque limitada), la creatividad, la improvisación y también la genialidad. En cambio, el caso de Esparta, cuyos habitantes descendían de los dorios, un pueblo del centro de Europa, era muy diferente. Se trataba de una sociedad absolutamente disciplinada, imbuida de un estricto espíritu militar y que nunca dejaba nada al azar, tanto que, aunque os pueda horrorizar, hasta controlaba que sólo los niños más fuertes sobrevivieran para garantizar una raza fuerte.

Esas continuas luchas fueron desgastando a las ciudades, ya que cada guerra les costaba mucho dinero y, sobre todo, las vidas de muchos de sus habitantes. A principios del siglo IV a.C., las grandes ciudades que habían llevado a Grecia a su máximo esplendor en los siglos anteriores estaban muy debilitadas e, incluso, los ciudadanos habían perdido la confianza en sus gobernantes y en sus sistemas de gobierno. Muchas *polis* griegas, en especial Atenas, se habían regido por democracias muy peculiares pero que daban estabilidad al gobierno, aunque ahora todo cambiaba.

El príncipe Alejandro de Macedonia

Mientras pasaba todo esto, yo nací en Pella, la capital de Macedonia, en el año 356 a.C. Mi madre era una princesa del Epiro, uno de los territorios griegos cercanos a Macedonia, y se decía que entre sus antepasados estaba el mítico héroe Aquiles. Seguro que habéis oído hablar de él, aquél que tenía un talón muy débil; pero eso es otra historia.

En mi juventud tuve los mejores maestros. Con sólo catorce años me enviaron a estudiar ni más ni menos que con Aristóteles, uno de los más grandes filósofos de la historia. Él me enseñó los principios de la filosofía griega y me introdujo en las artes y en las ciencias más avanzadas. Eso hizo que me acercara mucho a la forma griega de ver las cosas, a ese interés por todo y al amor por las artes, en especial por la literatura. Aristóteles fue el primero en regalarme un ejemplar de *La Ilíada*, la maravillosa historia de la guerra entre griegos y troyanos por culpa de una princesa llamada Helena. No sé si fue porque uno de los protagonistas era Aquiles, mi antepasado; el caso es que esa historia me gustó tanto que siempre, durante todos mis viajes, la llevé conmigo.

Mi padre: Filipo II de Macedonia

Mi padre fue rey de Macedonia. Y no es porque fuera mi padre, pero todos le consideraban un gran monarca. De hecho, muchos dudaban que yo pudiera estar a su altura, pero lo conseguí con creces. Cuando era joven, enviaron a mi padre a estudiar a la ciudad de Tebas, que entonces era la más fuerte de Grecia gracias a Epaminondas, un notable general que creó un gran ejército con una formación llamada falange. Allí mi padre aprendió mucho sobre táctica militar, lo cual le fue muy útil a su vuelta a Macedonia. En el 359 a.C., con sólo veinticinco años, mi padre subió al trono y empezó la expansión de Macedonia hasta situarla como el territorio más importante de Grecia.

Tras asentar su poder dentro de Macedonia y dejar claro quién mandaba, empezó a conquistar los territorios vecinos, para luego ir expandiendo el dominio macedonio hacia el sur, hacia las grandes y poderosas ciudades griegas. Esta expansión no fue siempre por la fuerza: mi padre era también un hábil diplomático y sabía jugar con los intereses de sus adversarios. Esa capacidad fue muy importante, ya que mi padre debía moverse en un entorno, el griego, en el que la política era todo un arte y donde un líder era valorado por su capacidad de convencer a los demás de sus ideas.

Pero uno de los grandes logros de mi padre fue conseguir formar un ejército muy fuerte, basado en aquella falange que había visto en la Tebas de Epaminondas. La falange era una formación de soldados perfectamente alineados que se protegían con escudos y unas largas lanzas, llamadas *sarisas*, de casi cinco metros, de manera que el cuerpo de tropas era casi inexpugnable.

Avanzaba como un enorme erizo, por lo cual era imparable y no había ejército que se le opusiera. Mi padre añadió, además, una caballería muy bien entrenada y formada por nobles macedonios que se habían instruido juntos desde niños. Más adelante, a esta caballería macedonia se unió la que venía de la cercana región de Tesalia, dominada por mi padre y que era famosa por la destreza de sus jinetes.

Llega mi hora

Siendo como era el príncipe de Macedonia, me incorporé muy pronto a las campañas de mi padre. A pesar de que no me llevaba muy bien con él, aprendí mucho a su lado, tanto del manejo de los ejércitos como del arte del diálogo con los adversarios.

Cuando tenía dieciocho años, las tropas macedonias nos enfrentamos y vencimos a una coalición encabezada por la poderosa Atenas en la batalla de Queronea, cerca de Tebas.

No es por nada, pero fue una victoria relativamente sencilla a pesar de que nuestras tropas eran mucho menores en número. A partir de ahí, el dominio macedonio sobre Grecia quedó claro. Mi padre, en un gesto muy diplomático, me envió como embajador a Atenas para llevar un símbolo de paz a los atenienses.

Tras esa victoria, mi padre empezó a preparar una expedición para luchar contra el Imperio persa, que había amenazado a los griegos desde hacía siglos. Tal era esta amenaza, que se convirtió en una de las pocas causas que había conseguido unir a todos los griegos. Sin embargo, en el 338 a.C., dos años después de la batalla de Queronea, mi padre fue asesinado en la boda entre una de mis hermanastras, Cleopatra, y uno de los que serían mis generales, Tolomeo. Las razones del crimen no quedaron del todo claras, pero pareció ser una venganza personal de un cortesano llamado Pausanías. Yo apenas contaba veinte años, pero me convertí de pronto nada menos que en el rey Alejandro de Macedonia.

Mis primeros pasos como rey

Pocos creían que yo llegaría a estar a la altura de mi padre, aunque se llevaron un buen chasco porque lo conseguí. No sólo seguí con la idea de ir a luchar con los persas en su propio territorio, sino que creé el mayor imperio de todo el mundo conocido.

Pero antes debí consolidar el dominio sobre Grecia y acabar con la resistencia de algunas ciudades que se oponían a Macedonia. Tenía que evitar que siguiera habiendo luchas internas en Grecia, lo cual no era una tarea fácil. Con algunas ciudades rebeldes tuve que recurrir a la fuerza sin compasión para que los griegos vieran que, aunque joven, el nuevo rey no era débil. Fue el caso de la orgullosa Tebas, que pretendía encabezar

una revuelta contra mí. Me apliqué con especial dureza para demostrar a todas las demás *polis* que no estaba dispuesto a permitir más rebeliones. Como ya sabréis por la historia, arrasé la ciudad, aunque dejé en pie los templos y la casa de Píndaro, un gran poeta tebano al cual admiraba mucho.

Tras diversas escaramuzas y muchas negociaciones con los líderes de las distintas ciudades, conseguí un acuerdo casi general. La única ciudad que aún se resistía era Esparta, pero como estaba aislada y no representaba ningún peligro para mi reinado, la dejé seguir su camino.

En otras ocasiones, sin embargo, me bastó sólo con usar la diplomacia que había aprendido de mi padre y que tan buen resultado le había dado a él en sus intentos por controlar Grecia.

Para saber combinar ambas destrezas, fuerza y diálogo, me fue muy útil lo que había aprendido de los filósofos en mi juventud, sobre todo de las enseñanzas de mi maestro Aristóteles.

De hecho, siempre seguí admirando a los grandes pensadores, como Diógenes, a quien conocí con una anécdota muy curiosa que os contaré. Resulta que durante una visita a la ciudad de Corinto, fui a saludar al que era uno de los más grandes filósofos de mi época y que pregonaba su absoluta falta de interés por el dinero y el poder. Hallé al pensador tomando el sol. Me acerqué a él y, al preguntarle qué le pedía al poderoso rey Alejandro, me sorprendió su respuesta: «Me bastaría con que te apartaras y no me taparas la luz del sol». Me quedé muy impresionado por su independencia, y mi admiración hacia él creció aún más.

Preparo mi viaje a conciencia

Una vez puesta la casa en orden, ya podía empezar a pensar en mi gran expedición, que me iba a llevar más allá de lo que nunca había soñado. Pero no creáis que las cosas se consiguen tan fácilmente. Tuve que prepararme muy bien para ir a luchar con los persas. Para ello recopilé toda la información que pude de mis generales, de los historiadores y de todos aquellos que me pudieran explicar cómo eran aquellos territorios que íbamos a conquistar. Gran parte de mi éxito se basó en conocer bien a aquellos con los que iba a luchar, de manera que fuera yo quien los sorprendiera a ellos y no al revés. Por ejemplo, como no teníamos unos mapas demasiado fiables, entre mis fuerzas había unos especialistas, llamados *bematistas*, que se encargaban de anotar exactamente las distancias que recorríamos.

De este modo sabía siempre dónde se encontraba mi ejército en cada momento. Así todo resultaba más sencillo...

Esta preparación cuidadosa era muy necesaria porque nos íbamos a enfrentar a un imperio muy poderoso en todos los sentidos. El ejército persa reunía a varios cientos de miles de soldados, de entre los cuales destacaban los llamados Diez Mil Inmortales, que era la fiera guardia personal del rey persa, Darío III. En cambio, mi ejército contaba con unos veinticinco mil soldados, con lo cual la proporción era de más de veinte persas por cada uno de mis hombres.

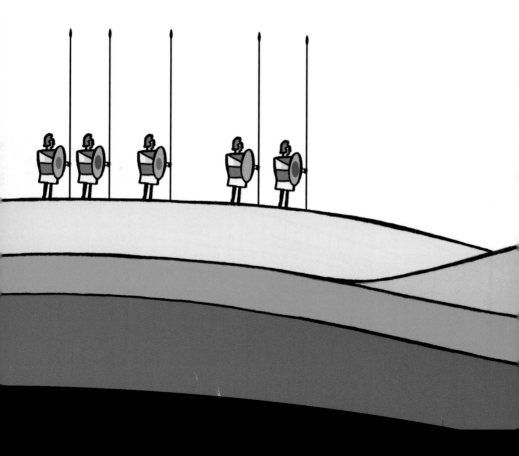

El gran Imperio persa

El Imperio persa, también llamado Aqueménida, se extendía por gran parte de Asia, en países que vosotros conocéis ahora como Turquía, Irak o Irán, llegando hasta la cordillera del Himalaya y la India. Su gran capital era la ciudad de Susa y era un reino enorme que se había gestado en el siglo VI a.C., doscientos años antes de mi expedición. Ya en el siglo V a.C. había entrado en conflicto con Grecia, cuyas ciudades, en especial Atenas, se encontraban entonces en su máximo apogeo.

Las luchas entre griegos y persas, llamadas guerras médicas (porque a los persas los llamábamos *medos*), habían provocado la unión de la mayoría de ciudades griegas, algo muy poco habitual. Aun así, los persas habían visto muy bien la tendencia de los griegos a pelearse entre ellos para aprovechar esas diferencias y fomentar la desunión de las *polis*. Así, durante el siglo v, los persas consiguieron controlar bastante la resistencia liderada por Atenas gracias a alianzas interesadas con otras ciudades-estado, que preferían unirse a los invasores antes que ir a favor de los atenienses.

A pesar de ello, a principios del siglo v a.C. se habían producido grandes batallas entre griegos y persas. Una de las más famosas fue la de Maratón, donde las tropas y las naves griegas, lideradas por Atenas, vencieron claramente y frenaron el intento de invasión de Grecia por parte de los persas. Los atenienses enviaron entonces un mensajero a su ciudad para anunciar la victoria. El enviado, llamado Fedípides, corrió tanto y tan rápido que murió al llegar a Atenas, pero consiguió dar la noticia con su último aliento. De ahí viene la famosa carrera de Maratón que todos conocéis, cuya distancia, de un poco más de 42 kilómetros, es la que separaba el sitio de la batalla de la ciudad de Atenas.

¡Pongo el pie en Asia!

Habían pasado más de ciento cincuenta años desde la gran victoria de Maratón, pero Grecia continuaba sin poder deshacerse de la presión de Persia. En el año 334 a.C., cuando tenía tan sólo veintidós años, empecé una expedición que me haría recorrer cerca de 20.000 kilómetros en busca de mi sueño de conquista, aunque pagué por ello un precio muy alto: nunca volví a ver mi país.

Tras cruzar el estrecho que separa Europa de Asia, lo primero que hice fue visitar los restos de la antigua Troya (la que había protagonizado la lucha contra los griegos en *La Ilíada*) y homenajear la tumba de mi antepasado Aquiles. Poco después empezaron los problemas. La primera batalla seria que tuve que afrontar se desarrolló a orillas del río Gránico. Curiosamente, no fue ante tropas persas, sino ante mercenarios griegos a sueldo de los persas y dirigidos por un gran rival llamado Memnón. Aun así, nada pudieron hacer ante la potencia de la falange macedonia apoyada por mi caballería, de forma que mi ejército consiguió su primera gran victoria.

Al año siguiente se dio un episodio del cual se ha hablado mucho. En la ciudad de Gordio, donde había reinado el famoso Midas (seguro que conocéis el cuento: era el rey que convertía en oro todo lo que tocaba), había una cuerda con un nudo tan complicado que decían que quien lo deshiciera reinaría sobre toda Asia. Está claro que yo pensaba dominar también ese territorio, así que tenía que deshacer el nudo fuera como fuera y, ¿para qué iba a perder el tiempo? No me anduve con rodeos y lo corté de un tajo con mi espada. Así se acabó el famoso nudo gordiano y se hizo realidad la profecía.

La batalla de Isos, primera derrota del rey de Persia

La victoria en el río Gránico y otras menores que la siguieron sirvieron para subir la moral de mis tropas, que al principio no tenían demasiada confianza en sus posibilidades. Pero también alertaron a los persas sobre la fuerza del ejército al que se enfrentaban, que había sido capaz de avanzar casi sin oposición por la llamada Asia Menor y atravesar las llamadas Puertas Cilicias, que eran la entrada al centro del Imperio persa.

Por eso, el rey de los persas, el gran Darío III, reunió a buena parte de su ejército para detenernos y poner fin a nuestra expedición. La batalla tuvo lugar en noviembre de 333 a.C. en Isos, a orillas del Mediterráneo. No creáis que se me resistieron. La superioridad numérica de los persas era abrumadora, pero cayeron como moscas ante el poder de mi falange y de mi capacidad estratégica para plantear las batallas y aprovechar los puntos débiles de mis enemigos.

Esta gran victoria marcó el inicio de mi dominio. No sólo conseguí vencer al grueso del ejército persa comandado por el mismísimo rey, sino que me hice con el tesoro real, que se guardaba en la cercana ciudad de Damasco. Además, la precipitada huida de los persas me permitió capturar a la familia de Darío III, en especial a su madre y a su mujer e hija.

Egipto: la tierra de los faraones

Tras vencer a Darío III, no continué directo hacia el corazón de Persia, como podía parecer lógico, sino que me desvié hacia las ciudades de la costa fenicia. La información que había recogido antes de salir de Grecia me hizo ver que las ciudades de esa zona podían plantear mucha resistencia y debía someterlas antes de proseguir, para no dejar así problemas a mis espaldas. Pero además había otra razón: Egipto.

La resistencia de algunas de esas ciudades fenicias, como Tiro o Gaza, fue terrible. Y terrible fue mi trato a sus habitantes tras derrotarlas, ya que no podía permitir que cundiera el ejemplo y otras plazas se me resistieran y retrasaran mis planes de conquista de Asia.

En cuanto a la otra razón, tenía que llegar a Egipto, la tierra de los grandes faraones que había sido sometida por los persas. Grecia y Egipto siempre habían tenido buena relación y debía liberarla, pero además un gran rey, como yo, tenía que ser investido faraón para que todos los habitantes del mundo supieran de mi poder.

La Fundación de Alejandría

Uno de los primeros objetivos que me marqué al llegar a Egipto fue fundar una nueva ciudad: Alejandría. Ni yo mismo podía entonces llegar a imaginar lo importante que sería este espacio geográfico. Mi idea consistía en crear una nueva ciudad que pusiera en común la civilización milenaria del Nilo y los faraones con el Mediterráneo, así que la población se construyó en la desembocadura del río y de cara al mar. Esa nueva ciudad con mi nombre llegó a ser el centro cultural más importante del Mediterráneo, rivalizando con la mismísima Roma, ya que tuvo la biblioteca más importante de la época antigua, aunque acabó siendo presa de un desgraciado incendio.

Uno de sus rasgos más destacados fue el faro que se construyó en la cercana isla de Faros (de ahí viene el nombre de todos los faros del mundo) para avisar a los navegantes de la cercanía de la costa. En su torreta superior se mantenía encendido permanentemente un fuego que podía avistarse desde muchos kilómetros a la redonda. La construcción resultó tan espectacular que se llegó a considerar una de la Siete Maravillas de la Antigüedad, aunque desgraciadamente ya no se conserva.

Alejandría también fue escenario de historias fabulosas, como la de la bella y astuta reina Cleopatra que llegó a hacer peligrar el poderoso Imperio romano gracias a sus encantos. Esta gran soberana fue la última de la dinastía de los Tolomeos, que descendían de Tolomeo, uno de mis generales, del que ya os he hablado, y que acabó reinando en Egipto tras mi muerte.

El oráculo del oasis de Siwah

Tras ordenar la fundación de la ciudad en que habrían de enterrarme, me dirigí más allá del Nilo, hacia el oráculo del oasis de Siwah, uno de los templos más importantes de Egipto y que estaba dedicado a Amón, que es como los egipcios llamaban al gran dios Zeus. Los oráculos eran un tipo muy especial de templo en el que los sacerdotes podían consultar el designio de los dioses mediante unas ceremonias peculiares, igual que nosotros lo hacíamos en el famoso oráculo griego de Delfos con el dios Apolo. En aquella época era costumbre que antes de iniciar una gran batalla o una expedición se consultara a los dioses para saber si el resultado sería favorable.

Mi intención no era sólo llevar el dominio macedonio mucho más allá de las tierras griegas, sino crear un gran imperio que integrara lo mejor de Oriente y de Occidente, incluidas sus costumbres.

Así, qué mejor que hacer la consulta a los dioses en un santuario tan significativo para los egipcios como para los griegos, tal era el oráculo de Siwah. Allí, los sacerdotes me dieron su bendición como faraón de Egipto, con lo cual mi imperio empezaba realmente a crecer y a tomar forma.

Sin embargo, esa vocación de integrar diferentes culturas y costumbres no gustaba a algunos de mis generales ni a parte de mi tropa, que ya empezaba a impacientarse por la tardanza en volver a Grecia. Pero apenas llevábamos un par de años y mi expedición no había hecho más que empezar. Había que tener paciencia pues lo mejor estaba por llegar.

La batalla decisiva

La derrota de Isos había dejado tocado al Imperio persa, pero las fuerzas del rey Darío III eran enormes y aún no habían sido derrotadas del todo. Por el contrario, ese fracaso hizo ver al rey persa qué tipo de enemigo tenía delante, así que reunió un contingente inmenso con soldados llegados de sus vastos territorios del centro de Asia.

Estábamos en octubre del año 331 a.C. y nos tuvimos que enfrentar a uno de los ejércitos más imponentes que ha visto la historia en la gran llanura de Gaugamela, cerca del río Tigris. Darío III había decidido frenar a mis guerreros y pretendía hacerlo en una batalla a campo abierto, donde sus tropas, mucho mayores en número, debían tener ventaja. Además contaba con una caballería muy fuerte y con carros provistos de guadañas en las ruedas para hacer el máximo daño posible a la falange macedonia.

La ventaja de los persas era evidente pero, una vez más, la estrategia y el conocimiento que yo tenía de la forma de actuar del ejército de Darío me permitió conseguir mi victoria más decisiva. ¿Por qué sino mi fama como estratega?

No me lo pensé dos veces y ordené una carga frontal y devastadora contra el centro de las filas persas antes de que ellos pudieran tomar la iniciativa. A pesar de su poderío, el ejército persa era como un gigante con pies de barro, ya que confiaban siempre en su superioridad numérica. Pero una vez rota su línea de ataque, cundió el desorden entre sus tropas y mi falange pudo acabar definitivamente con el gran ejército persa. ¡Aquello fue coser y cantar! Darío huyó despavorido y, esta vez sí, su derrota fue definitiva.

El Imperio persa a mis pies

Lo mío me había costado, pero por fin Asia se hallaba a mi alcance, los persas habían sido derrotados, y podía empezar a construir mi propio imperio. Sin embargo, no sería tarea fácil, ya que cada vez nos alejábamos más de nuestra tierra y el descontento de algunos soldados por la duración de la expedición empezaba a crecer. Además, continuaba habiendo algunos pequeños focos de resistencia persa. Había que poner un poco de orden...

A pesar de todo, nos dirigimos hacia la primera gran capital persa que tomé, la milenaria Babilonia. Esta ciudad, que había sido capital de grandes imperios, me recibió con todos los honores. Como reconocimiento y para demostrar a sus habitantes que no pretendía destruir sino empezar a construir un nuevo imperio, ordené restaurar el principal templo de la ciudad y establecí buenas relaciones con los sacerdotes y la nobleza local.

Hacía ya cuatro años que habíamos salido de Macedonia cuando conquistamos la gran Persépolis, la capital religiosa del Imperio aqueménida. Aquí tomé una decisión tajante: incendiar la ciudad. Me he enterado de que algunas leyendas dicen que lo hice bajo el influjo de una mujer que me pidió caprichosamente que prendiera fuego a la gran capital. No creáis todo lo que os cuenten, pues mis razones fueron mucho más calculadas. Por un lado, quise tomar una última venganza por los destrozos que habían provocado los persas en Grecia, sobre todo en mi admirada Atenas, hacía más de un siglo, durante las guerras médicas. Por otro, quise simbolizar el fin del Imperio persa y el inicio de una nueva era, ¡la del imperio de Alejandro de Macedonia!

Los míos intentan traicionarme

A pesar de los grandes peligros externos a los que había hecho frente desde la partida, no podía dejar de vigilar a mis subordinados para frenar cualquier intento de traición. En este sentido, uno de los que más me dolió fue el que involucró a Parmenión, que se hallaba entre mis mejores y más estimados generales, y a su hijo y amigo de juventud, Filotas.

La actitud de Filotas se había vuelto distante y engreída hacia mi persona, lo cual me hizo sospechar y seguirlo más de cerca. Así pude descubrir que había tomado parte en una conjura para asesinarme durante mi estancia en Egipto. Tras ser detenido, denunció que su padre, Parmenión, el gran general que ya había estado a las órdenes de mi padre, también estaba implicado en la traición. Fue un golpe muy doloroso para mí y mi carácter se volvió más desconfiado, incluso en exceso.

Ese cambio de carácter se fue acentuando con el tiempo, hasta el punto que me llevó a matar, en un acceso de locura, a uno de mis más queridos amigos. Sucedió como os lo cuento. Durante una cena, Clito, uno de mis aliados más cercanos, recordó que me había salvado la vida en una de las primeras batallas de la expedición, hecho que era cierto. Sin embargo, yo me sentí herido en el orgullo, enloquecí y lo maté con mis propias manos. Inmediatamente me arrepentí y rompí a llorar sobre el cadáver de mi querido amigo. Tantos años de batallas y vida lejos de mi tierra y de mi familia me estaban cambiando, pero debía seguir adelante hasta cumplir mi sueño.

Algunos vuelven a casa, pero yo no

Poco después de tomar y destruir Persépolis, mis ejércitos,
que ya incluían soldados de los territorios conquistados,
entraron en Susa, la capital política del Imperio. Allí
nos apoderamos del resto del tesoro real y se dio por
terminada la conquista del Imperio aqueménida
que tanto había acosado a la Gran Grecia.
La expedición griega, que buscaba acabar
con los persas, había cubierto su
objetivo; no así los macedonios,
que querían crear un
nuevo imperio. Por
eso, al llegar a
la cercana

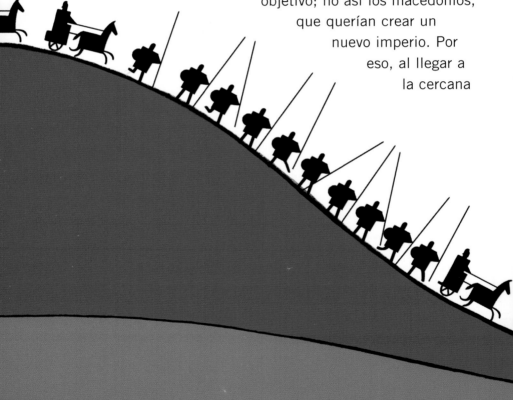

ciudad de Ecbatana ordené que volvieran a casa los soldados griegos no macedonios que me habían acompañado: a partir de ahora mi expedición ya no la hacía en nombre de los griegos, sino como rey de un nuevo y poderoso imperio.

Se iniciaba una etapa especialmente difícil de mi viaje, ya que nos dirigíamos a territorios con un clima muy riguroso y de los cuales apenas sabíamos nada. Además, la resistencia de algunas de esas zonas fue especialmente dura y mis tropas ya estaban muy cansadas después de seis años de continuas luchas. Sin embargo, me vi obligado a forzar aún más la marcha de mis soldados, porque ésa era la única forma de sorprender a algunos combatientes del antiguo Imperio persa que todavía intentaban resistirse a mi avance. La resistencia ya no era organizada, ya que incluso el rey Darío había sido asesinado por sus propios nobles, pero intentaban atacarnos por sorpresa e irnos desgastando poco a poco. Precisamente el asesino del rey Darío, llamado Beso, dirigió la resistencia en una región llamada Bactriana. A pesar de que no fue fácil, conseguí vencer a las fuerzas de Beso y vengar la muerte de Darío, a quien admiraba por haber sido un digno rival. Incluso ordené celebrar unos funerales por todo lo alto en honor del rey persa muerto.

La Roca de los Sogdianos

Otra de las zonas que más me costó dominar fue Sogdiana, al norte de la cordillera del Cáucaso. Las fortalezas de esta región se hallaban en lo alto de escarpadas montañas a las cuales costaba mucho acceder. El punto culminante de esta etapa fue la toma de la principal plaza de la zona, la llamada Roca de los Sogdianos. Mis ejércitos tuvieron que construir puentes hechos con cuerdas para poder superar el terrible desfiladero que impedía el acceso a la Roca y luego escalar sus laderas para poder conquistar la ciudad.

Fue una gran victoria y tuvo una gran recompensa. Además de conseguir acabar con la resistencia de los sogdianos, allí encontré a una bellísima mujer llamada Roxana, con la cual me casé el año 327 a.C. y que me dio un hijo que, sin embargo, nunca llegó a reinar. Con este matrimonio, me unía aún más a la parte oriental de mi nuevo imperio, que incluía los enormes territorios que había ido conquistando. Este progresivo acercamiento a Oriente y a sus costumbres no agradaba a algunos de mis nobles macedonios o a los griegos que aún me seguían, pero como ya os figuraréis yo era muy ambicioso y seguía empeñado en crear un solo imperio que integrara mis dominios griegos y asiáticos.

La India y mi caballo Bucéfalo

A pesar de que mi avance se había desviado hacia el norte, no tenía intención de seguir en esa dirección, ya que esas tierras ofrecían muy poco aliciente, y la resistencia había sido muy dura. En cambio, mis ojos se dirigieron hacia el sur, hacia la India. Ése sí era un gran objetivo, que permitiría ampliar mi

imperio de forma grandiosa. No os creáis que fue una empresa fácil pues tuve que reorganizar mis ejércitos y volverlos a preparar para duras batallas. Además, siguiendo con mi estrategia de combinar fuerza y diplomacia, intenté ganarme el favor de algunos reyes locales del norte de la India para facilitar mi entrada al subcontinente indio.

Si bien los avances iniciales habían sido fáciles, enseguida tuve que enfrentarme a un rival formidable: el rey Poros. Se trataba de un hombre de estatura y fuerza casi sobrehumanas que, además, comandaba un poderoso ejército que incluía doscientos elefantes. Tuve que poner todo mi esfuerzo y mis dotes como general para poder conseguir otra victoria. ¿Y qué creéis que sucedió? Pues que lo logré, pero, por desgracia, iba a ser la última...

Durante la batalla contra Poros sufrí la pérdida de mi fiel caballo Bucéfalo. Se había tejido una leyenda a su alrededor, por su fortaleza e inteligencia, y porque no se dejaba montar por nadie más que por mí. Pero pocos conocían su único defecto: tenía miedo de su propia sombra, por lo que siempre lo encaraba al sol. Cuando murió le organicé unos fastuosos funerales y, cerca de su tumba, fundé la ciudad de Bucefalia.

Empieza el regreso

Mis soldados ya no podían más, hacía ocho años que habíamos dejado Macedonia y estaban demasiado cansados. No podían continuar con unas conquistas que parecían no tener fin ya que nadie era capaz de derrotarlos. Así que, en el año 326 a.C., llegamos hasta el punto más oriental de la expedición, cerca del gran río Indo. Para marcar el límite de mis conquistas planté doce pilares que debían recordar a posteriores generaciones que hasta ahí había llegado el gran Alejandro de Macedonia.

De esta manera, en 326 a.C. empezó el regreso, pero debía ser por un camino diferente al de venida, para poder explorar más territorios. Seguimos el curso del río Indo hacia el sur, y en la ciudad de Patala decidí dividir mi ejército en tres partes para efectuar el viaje de vuelta.

Mi intención residía en explorar nuevas regiones y consolidar el dominio sobre los territorios que ya habíamos sometido. Uno de mis generales, Crátero, volvió más o menos por donde habíamos venido, mientras que otro, Nearco, retornó por mar a través del golfo Pérsico en una flota que ordené construir. Yo escogí la ruta más difícil, en paralelo a la costa pero por tierra firme. Para ello debía atravesar el temible desierto de Gedrosia, pero ya nada me asustaba a estas alturas, a pesar de que antiguos y grandes reyes habían fracasado al intentar seguir esa ruta.

Finalmente, las tres partes del ejército nos encontramos en el camino de vuelta e hicimos una gran celebración para festejar el fin de nuestra gran campaña asiática. En tan sólo nueve años habíamos recorrido miles y miles de kilómetros, una distancia apenas imaginable en aquella época y aún hoy. En definitiva, todo un triunfo. Pero para mí, el trabajo no había acabado, ya que tenía planeado cuál debía ser mi siguiente objetivo y sólo la muerte me impidió conseguirlo.

Las grandes bodas de Susa.
El principio del final

A la vuelta a la capital persa, Susa, continuamos las celebraciones por el éxito de la campaña. Como parte del festejo y siguiendo con mi estrategia de unir mi tierra de origen y mis nuevos dominios, hice que decenas de mis compañeros macedonios se casaran con mujeres de la nobleza de la región. Incluso yo mismo desposé a Barsine, la hija del rey Darío.

El cansancio de mis soldados y la resistencia a la progresiva orientalización de mi imperio explotaron en el año 324 a.C., en la ciudad de Opis: mi ejército se amotinó y amenazó con abandonarme. ¡Qué momentos más delicados! Tuve que enfrentarme a ellos y recordarles lo mucho que habíamos hecho por Macedonia, no sólo yo, sino también mi padre. Les hablé de cómo el gran Filipo había convertido a un país de pastores y campesinos desorganizados y sometidos a sus vecinos en un pueblo poderoso y orgulloso de sus conquistas. Mi discurso los convenció, pero debo confesaros que mi poder ya no era tan firme como antes y yo mismo empezaba a sufrir los efectos de años de continuas batallas y de duros viajes. Para colmo, por si fuera poco, en el mismo año 324 a.C. me llegó un durísimo golpe: la muerte de mi compañero más querido, Hefestión. Él me había acompañado desde el principio y había estado fielmente a mi lado en todo momento, de manera que su muerte me llenó de dolor.

Mi proyecto queda inacabado

A pesar de todo, yo seguí haciendo planes de conquista, nunca tuve suficiente. Mi siguiente paso era dominar la península de Arabia, lo cual me permitiría controlar el muy rentable comercio de especias entre Asia y el Mediterráneo. Siguiendo mis costumbres, ya había enviado exploradores para que me informaran de cómo era el terreno y de qué tipo de pueblos me iba a encontrar en mi camino. La conquista de la enorme península Arábiga me hubiera permitido unir bajo mi imperio el mar Rojo y el golfo Pérsico, de manera que hubiera arrebatado a los árabes todo el comercio que pasaba por allí.

Incluso me planteaba objetivos a más largo plazo, como podía ser luchar contra una Roma que empezaba a despuntar o contra los aguerridos cartagineses. Más allá, he de confesaros que uno de mis objetivos secretos era llegar hasta las famosas columnas de Heracles, al sur de Iberia, allí donde el *Mare Nostrum* se unía con el Gran Océano que ahora conocéis como Atlántico. Hasta ahí había llegado Heracles y yo quería seguir sus pasos como ya había seguido por Oriente los de otro gran héroe, Aquiles.

Sin embargo, mi cuerpo no aguantó más. El 30 de junio del año 323 a.C., el gran Alejandro de Macedonia murió en la ciudad de Babilonia dejando un enorme imperio que aún debía ser mayor. Tal y como había ordenado, mis restos fueron trasladados a la ciudad que había fundado en la desembocadura del río Nilo, en Egipto. Alejandría debía ser mi morada para el resto de la eternidad.

A mi muerte, aún no había hecho testamento y no tenía descendencia, ya que mi hijo con Roxana todavía no había nacido. Por otra parte, el que se suponía debía ser mi sucesor, mi hermanastro Arrideo, no estaba mentalmente capacitado para gobernar.

La guerra de los diadocos

Ante esta situación de vacío de poder, mis generales, los llamados diadocos (que actuaron como mis sucesores), decidieron gobernar entre todos el imperio mientras Macedonia tomaba una decisión sobre quién debía ocupar el trono. Se ha dicho que yo mismo escribí un testamento justo antes de morir y que en él redacté cómo se deberían repartir mis conquistas, pero en realidad no fue así. Yo sabía que si se dividían una vez, nunca volverían a reunirse y se perdería la grandeza de mi imperio. Por eso, cuando estaba en mi lecho de muerte, lo único que dije es que mi sucesor debería ser "el mejor", aunque no especifiqué quién de ellos era.

Tanto mis generales como la gran mayoría de los griegos nunca acabaron de entender mi aspiración de crear un reino que uniera realmente Oriente y Occidente. Por eso, no aceptaban la idea de que mi sucesor fuera hijo de una princesa oriental como Roxana. La solución, en teoría temporal, fue repartir mi enorme imperio entre ellos, pero, como yo había imaginado, no tardaron en enzarzarse en sangrientas luchas por conseguir una mayor porción del territorio.

De entrada, los generales se reunieron en la misma ciudad de Babilonia donde yo había muerto para decidir qué camino seguir en la sucesión del imperio. En un primer momento, el poder se lo repartieron entre tres de mis grandes jefes militares y formaron una especie de gobierno: Pérdicas, que mantenía el control de Asia y que seguía apoyando la idea de un solo imperio; Crátero, que controlaba mis ejércitos y el tesoro imperial y Antípatro, que desde el inicio se había quedado en Grecia y que ejercía el control de mis dominios europeos.

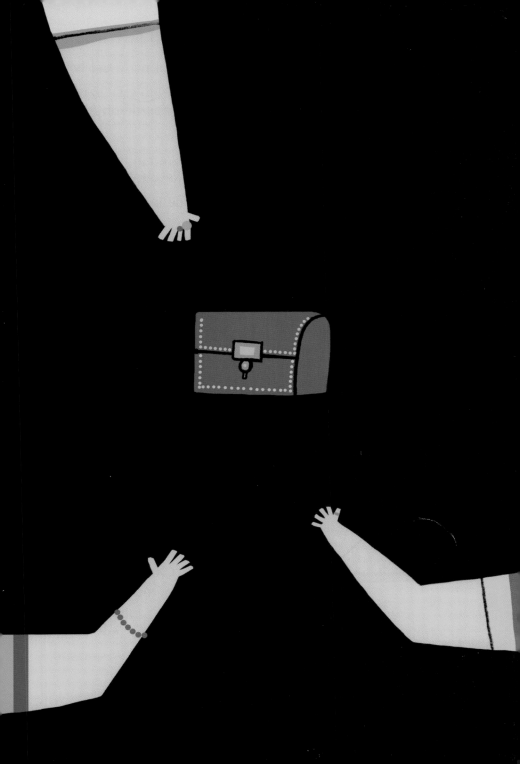

Pero pronto los demás reclamaron también una parte del botín y, así, Egipto cayó en manos de Tolomeo, la provincia griega de Tracia fue para Lisímaco y Asia Menor se la repartieron Antígono y Eumenes.

No tardaron en empezar las guerras, todos querían más. Fue un continuo juego de pactos y de traiciones constantes. De hecho, a los pocos años de mi muerte, la mayoría de los diadocos habían muerto por sus luchas de poder y mi imperio había sido finalmente desmembrado. El único que mantuvo su vida y su porción de territorio fue Tolomeo, que estaba casado con mi hermanastra Cleopatra (fue en su boda donde asesinaron a mi padre, Filipo), dando lugar a una dinastía de reyes egipcios que acabó tres siglos después con otra Cleopatra, la más famosa de la familia.

Por si fuera poco, muchas ciudades asiáticas y, sobre todo, griegas aprovecharon la situación de confusión para volver a recuperar sus parcelas de independencia. De hecho, para los griegos era algo natural ir cada uno a su aire y la experiencia de estar agrupados bajo un mismo rey era algo demasiado extraño para las *polis*. En especial Atenas, que no tardó en animar a otras ciudades para acabar con el dominio macedonio de Grecia con la intención de recuperar el peso que había tenido en el pasado,

aunque eso nunca sucedió. La época de Atenas y de Grecia como centro del mundo civilizado ya había pasado y otros pueblos estaban a punto de tomar el relevo.

Mi imperio, uno de los mayores que ha visto la historia, había durado apenas unos años, pero la fama de mis conquistas fue mucho más allá. De que mis gestas fueran conocidas ya me ocupé yo en vida, no en vano me hice acompañar de escritores que relataran mis hazañas. Esa notoriedad siguió tras mi muerte pues me convertí en poco menos que un dios para algunos y muchos historiadores ya en Grecia y en Roma se dedicaron a explicar mi vida. Debo confesaros un pequeño secreto: no siempre eran del todo fieles a la verdad y añadían un poco de imaginación al relato para hacerlo más ameno.

Nunca nadie había conquistado tanto territorio en tan poco tiempo, por eso se me añadió el sobrenombre con el que se me conoció desde entonces: Alejandro Magno. Las opiniones sobre mí han sido muy diversas a lo largo de toda la historia, ya que unos veían en mí la encarnación de un poder excesivo, pero otros apreciaron el valor de mis conquistas y mi voluntad de crear un solo imperio que uniera Oriente y Occidente.

Muchos han sido después los que lo han vuelto a intentar y, en realidad, no pasó mucho tiempo tras mi muerte hasta que se inició un nuevo gran proyecto. Mientras yo volvía de mi gran expedición, ya empezaba a despuntar una nueva ciudad en la península Itálica, al oeste de Grecia. Con el tiempo, sus emperadores, que más adelante se harían llamar César, soñaron con revivir mis hazañas y casi lo consiguieron: fundaron el gran Imperio romano. Esa ciudad era Roma, pero ésa también es otra historia.

Años (a.C.)	Vida de Alejandro	Historia
500-480		El norte de Grecia pasa a ser provincia persa. Batalla de Maratón (490).
480-460		Se crea la Liga Ático-Délica que reúne a las ciudades griegas contra Persia (477). Pericles sube al poder en Atenas (467). Muere Temístocles (460).
460-440		Muere el rey Alejandro I de Macedonia (451). En Roma se promulga una ley que protege a los plebeyos del abuso de los aristócratas (450).
440-420		Muere Pericles (428). Empieza la guerra del Peloponeso entre Atenas y Esparta (431-404).
410-390		Rendición de Atenas y dominio de Esparta (404-371). El aspirante al trono persa, Ciro, ataca a su rey.
390-370		Nace Filipo, padre de Alejandro (384). Ataque de los celtas contra Roma (387).
370-350	Nace Alejandro (356), hijo de Filipo de Macedonia y Olimpíade de Epiro.	Filipo sube al trono de Macedonia (359). Dominio de Tebas sobre las otras ciudades.
350-340	Alejandro va a estudiar con Aristóteles (342).	Efímera paz entre Macedonia y Atenas (346) y reinicio de la guerra entre Atenas y Macedonia (340).
340-330	Filipo muere asesinado (338). Alejandro sube al trono (336). Alejandro sale de Macedonia. Batalla del Gránico (334). Se enfrenta a Darío III de Persia (333). Conquista de Egipto. Fundación de Alejandría (331). Destrucción de Persépolis (330). Regresan las tropas no macedonias (330).	Batalla de Queronea (338). Macedonia consolida su dominio sobre Grecia. Darío III sube al trono en Persia (335). Roma inicia su expansión fuera de su región (334).
330-320	Muerte de Clito, amigo de Alejandro (328). Boda con Roxana (327). Batalla del Hidaspes. Empieza el retorno (326). Muerte de Hefestión (324). Muerte de Alejandro en Babilonia (323).	Muere Aristóteles (322). 1ª guerra de los diadocos, sucesores de Alejandro Magno (321). El griego se convierte en lengua oficial de toda Grecia.

Arte y cultura

Nace Fidias, célebre escultor que decora el Partenón de Atenas y que construye las estatuas de Zeus y de Atenea (500, aprox.).

Muere el gran filósofo Heráclito (550-480).
Mueren los grandes pensadores Buda (563-479) y Confucio (551-479) en la India y en China.
Muere Esquilo, creador de la tragedia griega (456).

Se construye el Partenón de Atenas (447-438).
Muere Píndaro, poeta admirado por Alejandro, por lo que no destruiría su casa al arrasar Tebas (336).

Nace Platón (429), maestro de Aristóteles.
Atenas finaliza la construcción de su Acrópolis (420).
Muere Fidias (430).

Muere Sócrates, gran filósofo y maestro de Platón (407-399).

Nace Aristóteles (384).
Platón funda su escuela, la Academia (384).
Muere Hipócrates, padre de la Medicina (377).

Se construye el Mausoleo de Halicarnaso (Asia Menor), un monumento funerario que se incluye entre las Siete Maravillas (350, aprox.).

Muere Platón (428-347).
Nace Menandro, gran autor de comedias (342).

En China, muere Wei Yang, el gobernante que sentó las bases de la unificación del Imperio chino (338).
Aristóteles funda en Atenas su gran escuela, el Liceo (335).

Muere Demóstenes, político y gran impulsor de la oratoria en Atenas (387-322).
Se termina el gran templo de Artemisa en Éfeso (323), otra de las Siete Maravillas.

Me llamo...

Es una colección juvenil de biografías de personajes universales. En cada volumen una figura de la historia, de las ciencias, del arte, de la cultura, de la literatura o del pensamiento nos revela de forma amena su vida y su obra, así como el ambiente del mundo en el que vivió. La rica ilustración, inspirada en la época, nos permite sumergirnos en su tiempo y en su entorno.

Alejandro Magno

Hijo del rey Filipo II, Alejandro nació en Pella, la antigua capital de Macedonia, en Grecia, en uno de los momentos de máximo esplendor. Instruido por Aristóteles en las ciencias, la geografía y la historia, Alejandro hizo gala de sus dotes políticas y militares cuando heredó el poder a la muerte de su padre, con tan sólo veinte años. En poco menos de una década, a menudo mezclando crueldad y valor inusitados, emprendió una irresistible campaña hacia Oriente con el propósito de adueñarse del mundo. Aunque murió joven, a los treinta y tres años, está considerado una de las figuras y estrategas más grandiosos de la antigüedad.

Pella